roman noir

Dominique et Compagnie

Sous la direction de

Agnès Huguet

Camille Bouchard

Les voyages de Nicolas

Sacrilège
en Inde

Illustrations
Normand Cousineau

**Catalogage avant publication
de Bibliothèque et Archives
nationales du Québec et
Bibliothèque et Archives Canada**

Bouchard, Camille, 1955-
Sacrilège en Inde
(Les voyages de Nicolas)
(Roman noir)
Pour enfants de 9 ans et plus.

ISBN 978-2-89686-017-3
I. Cousineau, Normand. II. Titre.
III. Collection : Bouchard,
Camille, 1955- . Voyages de Nicolas.
IV. Collection : Roman noir.

PS8553.O756S22 2011 jC843'.54 C2011-940101-0
PS9553.O756S22 2011

Dépôts légaux : 3e trimestre 2011
Bibliothèque et Archives nationales
du Québec
Bibliothèque nationale du Canada
Bibliothèque nationale de France

ISBN 978-2-89686-017-3
Imprimé au Canada

10 9 8 7 6 5 4 3 2 1

Direction de la collection
et direction artistique :
Agnès Huguet
Conception graphique :
Primeau Barey
Révision et correction :
Danielle Patenaude

Dominique et compagnie
300, rue Arran
Saint-Lambert (Québec)
J4R 1K5 Canada
Téléphone : 514 875-0327
Télécopieur : 450 672-5448
Courriel :
dominiqueetcie@editionsheritage.com
Site Internet :
dominiqueetcompagnie.com

Nous remercions le Conseil des Arts
du Canada de l'aide accordée à notre
programme de publication. Nous reconnaissons l'aide financière du gouvernement du Canada par l'entremise du
Programme d'aide au développement
de l'industrie de l'édition (PADIÉ) pour
nos activités d'édition.

Nous reconnaissons l'aide financière du
gouvernement du Québec par l'entremise du Programme de crédit d'impôt
pour l'édition de livres – SODEC – et du
Programme d'aide aux entreprises du
livre et de l'édition spécialisée.

À Mathilde, Mollie et Sarah
qui ne connaîtront jamais le sort
de trop de fillettes soumises aux
lois implacables des traditions.

Prologue

Je m'appelle Nicolas ; j'ai dix ans. Je suis québécois, mais je vis à l'étranger. Depuis plus d'un an, mon père et ma mère ont entrepris de faire le tour du monde. Il me semble que cela fait une éternité que nous sommes partis. Il m'arrive même de penser que le Québec n'existe plus ; que mes souvenirs de là-bas ne sont qu'un rêve.

Nous restons quelques semaines dans chaque pays que nous visitons. Parfois dans les grandes villes, parfois dans les villages. Mon père est ingénieur et travaille pour une firme importante. On lui offre des contrats ici et là au cours de notre périple. Le plus souvent, ma mère se déniche aussi un emploi lorsque nous nous installons quelque part. Puisque je n'ai ni frère ni sœur, je me retrouve plusieurs heures par jour seul avec une gouvernante ou avec un professeur particulier.

Quelquefois, je parle à mes grands-parents au téléphone. Pour moi, ils ne sont plus qu'une voix sans visage. Une voix au timbre éraillé par la distance et les mauvaises lignes téléphoniques. Il y a bien ces photos d'eux que maman place toujours en évidence dans nos nouvelles demeures. Mais ces regards fixes ne paraissent pas appartenir à des êtres que j'ai connus.

J'ai aussi une photo de moi en train de jouer dans la neige. Un cliché pris alors que je n'avais pas huit ans. On dirait que ce n'est pas moi. Je ne me reconnais pas et je ne reconnais pas ces paysages d'hiver. Je n'ai pas vu de neige depuis si longtemps.

Chaque fois que nous débarquons dans un nouveau pays, je découvre

8

un monde inconnu et fascinant. Un univers différent de celui que je viens de quitter.

C'est comme naître plusieurs fois dans une même vie.

Chapitre 1

La ville étrange

Varanasi est une ville étrange. Voilà ce que je me dis en parcourant les ruelles de cette cité indienne aux côtés de Zehra, ma nouvelle amie. J'aurais préféré me retrouver avec Shyam Lal ou Anilvoon, les deux frères de Zehra, qui ont dix et onze ans, mais ceux-ci vont à l'usine.

— C'est terrible de travailler si jeune, a dit maman à Aditi.

Aditi est la mère de Zehra, et elle nous tient lieu de gouvernante.

— Je sais, a répondu la femme, mais

nous sommes très pauvres, alors mes fils doivent gagner de l'argent.

—Et Zehra? a demandé maman.

—Son temps viendra bientôt, a répliqué Aditi.

Voilà pourquoi je découvre notre nouveau lieu de résidence en compagnie d'une fille de neuf ans, plutôt qu'avec ses frères aînés.

—Attention à la vache! me crie Zehra.

J'ai à peine le réflexe de faire un pas de côté qu'un gros ruminant me frôle de ses cornes. La bête s'empare d'un emballage en carton qui traîne par terre et le mâchouille tout en poursuivant son chemin.

—Mais il y a des vaches partout, ici! que je m'exclame.

Zehra éclate de rire. Elle a un joli petit visage rond, de belles lèvres

pleines, un nez un peu long, et des cheveux d'un noir charbon. Le contour de ses yeux est redessiné au khôl, une sorte de poudre noire que tout le monde utilise, même les enfants. Et aussi les garçons ! Au milieu de son front, elle arbore le *tilak,* un point rouge qui symbolise le troisième œil.

Zehra m'explique :

—Bien sûr, *firangui,* qu'il y a des vaches partout. En Inde, elles sont sacrées.

Nous les vénérons. Alors, nous les laissons libres de se promener où elles veulent.

—Même au milieu de la rue, à travers les autos, les motocyclettes et les... Ces drôles de tricycles qui servent de taxi ?

Zehra rit de nouveau.

—Les *rickshaws.* Oui, oui, les vaches ont priorité sur tout le monde, mais mon père dit qu'elles provoquent souvent des accidents.

Je me pelotonne contre un mur de pierre afin de livrer passage à un scooter, puis à trois chèvres, puis à un âne, puis à deux autres vaches, puis à une bicyclette, puis à huit piétons…

– Si tu attends que chacun soit passé avant de t'engager dans la rue, fait Zehra en revenant sur ses pas, tu ne traverseras jamais. Allez ! Donne-moi la main et suis-moi.

Et nous voilà tous deux zigzaguant au milieu d'une circulation démente comme je n'en ai jamais vu dans aucun pays ni dans aucune ville que j'ai visités. La chaussée est très étroite, ce qui explique sans doute que nous n'y rencontrions ni voiture ni camion. Cependant, tout ce qui roule sur deux et trois roues s'y retrouve. Sans parler des animaux…

– Attention, Zehra ! que je m'écrie

en interrompant le fil de ma pensée. Il y a un chameau attelé à une remorque qui va te...

—Mais non, réplique-t-elle. Viens par ici.

Sans parler des animaux, dis-je, à qui nous disputons le passage. Le bruit est cacophonique. Ça crie, sonne, bêle, meugle, klaxonne, brait, tandis que les odeurs les plus diverses nous montent au nez.

—Et là ! Un singe ! Tu as vu ? Il y a un singe qui...

Nous atteignons enfin — sains et saufs — le côté opposé de la rue où l'ombre des bâtiments apporte une certaine fraîcheur. Il faut dire que marcher sous le soleil de plomb indien est éprouvant.

« Ce sera bientôt la mousson, a affirmé la mère de Zehra à mes parents au moment de notre arrivée à Varanasi. Il pleuvra pendant des jours et des jours… Nous avons hâte, car il n'est pas tombé une goutte depuis six mois. »

– Tu as soif, *firangui* ? Tu veux de l'eau ? me demande un homme très maigre, vêtu de guenilles.

Ici, tout le monde m'appelle *firangui.* C'est un mot qui désigne les Blancs. Les gens s'adressent à moi en anglais. Un anglais difficile à comprendre, mais au moins, ça me permet de communiquer.

Je réponds à l'homme :

– Euh… oui, je veux bien boire.

– Mauvaise idée, rétorque Zehra en me reprenant par la main. Cette eau vient du Gange. Elle te rendra très malade. En plus, tu dois payer et ta mère ne t'a pas laissé de sous.

Je distingue un liquide boueux dans

le verre en fer-blanc que l'homme me tend.

—Désolé, monsieur, que je lance tandis que mon amie m'entraîne avec elle. Ce sera pour une autre f... Ça alors !

Je viens de m'immobiliser, interdit. La scène devant nous me paraît si extraordinaire que j'ai l'impression de rêver.

Chapitre 2

Sur le bord du Gange

Zehra et moi venons d'arriver au sommet d'un large, très large escalier de ciment dont les marches les plus basses disparaissent sous les vagues d'un cours d'eau.

—Voici les *ghâts* qui donnent accès au Gange, notre fleuve sacré, m'annonce mon amie.

Des dizaines... Que dis-je ? Des centaines... non, plutôt, des milliers de personnes, hommes et femmes de tous les âges, des enfants aussi, vêtus de tissus colorés, grouillent autour de nous. De l'esplanade où nous nous trouvons, au milieu des marches et jusque dans l'eau, ces gens prient, chantent, discutent, rient, font leur lessive, se lavent, boivent... Il y a des animaux partout : vaches, chèvres, ânes, moutons, singes... Les chiens, le museau au sol, s'attaquent au moindre déchet qui leur paraît comestible.

Des bateaux sillonnent le fleuve et des oiseaux les survolent en piaillant. Sous les porches des bâtiments en pierre qui longent le Gange, j'aperçois des hommes habillés de robes orange. Ils font sonner des cloches qu'ils tiennent au bout de leurs bras très maigres.

– Pourquoi font-ils tout ce bruit ? que je demande à Zehra en désignant les carillonneurs.

– Qui ? Les brahmanes ?

– Les quoi ?

–Les brahmanes. Ce sont des prêtres. Ils appellent les fidèles à la prière.

Je remarque d'autres hommes, eux aussi vêtus de robes, assis sous un parasol, jambes croisées. Ils observent la rive opposée d'un regard éteint. L'odeur du tabac qu'ils fument me fait douter que ce soit... du tabac, justement. Ces gens me paraissent plutôt sous l'effet de la drogue.

Une femme me bouscule en passant trop près de moi. Je manque de tomber en bas des marches.

Je grommelle :

–Elle pourrait s'excuser.

Zehra me reprend par la main.

–Retournons chez toi, dit-elle.

Nous gravissons les quelques degrés que nous avions descendus pour rejoindre le sommet de l'esplanade. Des brebis nous contournent en bêlant.

Zehra lance, tout à coup :

— Prends garde à la...

— À la vache, je sais. Je l'ai vue.

Nous nous engageons dans une ruelle si étroite que mon amie et moi devons marcher de côté chaque fois que nous croisons quelqu'un. De hauts murs de pierre nous environnent. On se croirait au fond d'un gouffre. Le sol est en terre boueuse, couvert d'immondices.

— Ça pue drôlement ici.

— Désolée, réplique Zehra. Mais c'est un raccourci pour atteindre l'avenue principale. De là, nous serons vite chez toi.

Au moment où nous croisons un amas de déchets près d'une paroi, Zehra s'arrête pile.

— Écoute, dit-elle. Des gémissements. J'entends des tas de bruits, mais rien qui ressemble à un gémissement.

Mon amie se penche sur l'amoncellement de détritus. Soudain, elle met la main devant sa bouche.

– Oh ! Par Shiva ! s'exclame-t-elle. Nicolas, tu as vu ? C'est terrible !

Shiva, c'est le dieu le plus important des habitants de Varanasi. Je laisse passer deux femmes qui ne nous prêtent pas attention et, une fois qu'elles se sont éloignées, je m'approche de Zehra.

– Eh bien ? Qu'y a-t-il ?

Sans répondre, mon amie saisit quelque chose au milieu des déchets. Ce n'est que lorsqu'elle rapporte un paquet de chiffons dégoûtant de crasse que j'entends enfin, non pas des gémissements, mais des pleurs. Je m'exclame :

– Un bébé !

Une tête, pas plus grosse qu'une

pommette, remue faiblement. Une bouche étroite est ouverte dans un visage plissé. Les plaintes de l'enfant se perdent dans la cacophonie ambiante.

– Une… une petite fille, murmure Zehra en regardant sous le tas de tissus. Comme elle est…

– … minuscule ! que je complète, sans trop savoir si c'est bien le qualificatif que s'apprêtait à utiliser mon amie. On dirait qu'elle vient de naître.

– En tout cas, fait Zehra, elle n'a pas plus d'un ou deux jours, j'en suis certaine. J'ai vu deux de mes cousines quelques heures après leur naissance, et elles ressemblaient à… ceci.

– Que fait ce bébé au milieu des déchets ?

Mon amie ne me répond pas. Elle s'est mise à bercer l'enfant. Trop occupée pour remarquer les gens qui nous croisent. C'est donc moi qui, le premier, repère cet homme au bout de la ruelle qui nous observe, le regard mauvais.

Chapitre 3

Un papa soulagé

L'homme qui nous regarde intensément n'est sans doute pas plus vieux que mon père, mais il me paraît plus âgé à cause de ses épaules voûtées, sa grande maigreur, son visage osseux, ses cheveux en broussaille, ses vêtements déguenillés...

Quand il constate que je l'ai vu, son expression se modifie. De furieux, il semble ensuite surpris, puis... reconnaissant.

– Mon enfant ! s'écrie-t-il en s'approchant de nous. Enfin, mon enfant est retrouvée !

Zehra se retourne brusquement en serrant le bébé contre elle.

– Que *Lord Shiva*[1] te bénisse, jeune fille ! s'exclame l'homme en arrivant à la hauteur de Zehra.

– Qui êtes-vous ? demande mon amie avec un ton impérieux qui ne manque pas de m'étonner.

– Je m'appelle Lokesh, répond l'homme en anglais, après m'avoir dévisagé. Je suis le papa de cette petite fille. Son nom est Yuvati.

Deux adolescents avec une chèvre me bousculent tandis qu'ils me dépassent. Lorsqu'ils obligent le dénommé Lokesh et Zehra à se plaquer contre le mur, j'en profite pour m'avancer. Je demande :

---

[1] Seigneur Shiva. Il s'agit d'une expression très répandue en Inde.

—Comment se fait-il, monsieur, que nous trouvions votre enfant au milieu des déchets?

—Yuvati est tombée en bas de la charrette lorsque nous sommes passés ici, ce matin, sa mère et moi, répond-il. Nous ne nous sommes aperçus de sa disparition qu'une fois arrivés à la maison. Ma femme est dans tous ses états.

Son ton me paraît un peu faux, mais il affiche une telle détresse dans son regard que je me laisse attendrir. Lorsqu'il tend les mains vers Zehra afin de reprendre le bébé, celle-ci fait un pas de recul et m'écrase le pied.

Sans se préoccuper de s'excuser, elle dit à Lokesh :

— Pourriez-vous demander à votre femme de venir ici afin de récupérer elle-même son bébé ? Je vais vous attendre.

L'homme affiche une mine où j'ai peine à distinguer la surprise de la frustration et de la colère. Il réplique :

— Qui me dit que tu n'en profiteras pas pour te sauver avec mon enfant ? Je ne te connais pas, moi !

— Moi non plus, rétorque Zehra. Je devrais peut-être aller trouver la police et...

– Non, pas la police ! l'interrompt Lokesh d'un ton alarmé. Tu sais comment sont les agents dans notre pays. Ils vont réclamer de l'argent pour leur service et je ne suis pas riche. Jolie fleur de lotus, priveras-tu un père du bonheur d'avoir retrouvé son bébé ?

L'homme semble si sincère que même Zehra commence à se détendre. Elle tourne son visage vers moi.

– Nicolas ? fait-elle en réclamant visiblement mon avis.

– Je... je crois qu'il faut rendre l'enfant à son père, Zehra. Il n'a pas été très responsable de la perdre comme ça sans s'en rendre compte, mais nous ne pouvons pas... enfin, la garder...

Lokesh n'attend pas que Zehra ait tout à fait arrêté sa décision avant de tendre de nouveau les mains vers la petite. Il prend le paquet de tissus avec un geste légèrement impatient lorsque mon amie tente d'y opposer un peu de résistance.

—Merci, dit-il en perdant un peu trop rapidement à mon goût son expression émue.

Et, sans plus s'attarder, Yuvati serrée dans ses bras, le voilà qui s'empresse de filer vers l'autre bout de la ruelle.

—Vite, chuchote Zehra en me reprenant par la main. Suivons-le.

—Com... comment ça, suivons-le ? On ne retourne plus à la maison ?

—Enfin, Nicolas ? lance-t-elle, d'un ton agacé. Tu vois bien que le comportement de cet homme est bizarre. Assurons-nous qu'il ne cherche pas à faire du mal au bébé.

—Quel mal un père voudrait-il faire à son... ?

—Tu n'as pas idée.

– Ne devrait-on pas plutôt trouver la police et leur dire que nous soupçonnons peut-être... ce type...

– Ne sois pas naïf, Nicolas ! Allez, viens !

Et, comme deux conspirateurs, nous nous mettons à suivre Lokesh dans les rues de Varanasi !

Chapitre 4

La filature

Nous serpentons au milieu d'un véritable labyrinthe de pierre et de ciment. Les bâtiments s'imbriquent les uns dans les autres, percés çà et là d'étroites ruelles qui nous livrent passage. À chaque coin de rue – ou presque –, il y a des entrées de temple. J'ai l'impression que les Indiens passent beaucoup de temps à prier.

Au milieu de la foule de personnes, d'animaux et de véhicules dans laquelle nous nous déplaçons, nous perdons la trace de Lokesh à trois reprises.

Et, à trois reprises, heureusement, nous la retrouvons.

Soudain, mon amie s'arrête brusquement, car Lokesh vient de s'immobiliser à vingt pas. Pour la énième fois, il regarde autour de lui, comme s'il craignait de croiser quelqu'un de sa connaissance... ou comme s'il craignait d'être suivi ! Nous nous blottissons hors de sa vue contre un pan de mur à l'angle d'un temple.

–Je regrette, je regrette, marmonne Zehra entre ses dents.

–Tu regrettes quoi ?

–De lui avoir donné l'enfant ! Je n'aurais pas dû me laisser attendrir par son air abattu.

–Mais enfin, il s'agit de son père ! que je m'exclame une fois de plus.

Zehra me retourne une expression entremêlée d'impatience et d'indulgence, deux sentiments si contraires

que je ne sais pas comment l'inter-
préter. Elle me dit :

– Nicolas, tu dois comprendre que,
parfois, dans mon pays, des gens com-
mettent de très graves sacrilèges aux
yeux de nos dieux.

– Quel genre de sacrilèges ?

– Un père, s'il est insatisfait de son
bébé, peut vouloir s'en débarrasser.

Je fronce les sourcils :

– Voyons, Zehra ! Comment un père
peut-il ne pas être satisfait de son
enfant au point de chercher à s'en
défaire ? Tu ne crois tout de même pas
que cet homme a volontairement jeté
sa petite fille aux poubelles ?

Mon amie s'apprête à répondre
quand, tout à coup, Lokesh se remet
en marche. Zehra s'empresse de lui em-
boîter le pas et je me vois forcé de la
suivre sans avoir obtenu d'explication.

• • •

Au bout d'une bonne demi-heure de marche, nous finissons par arriver à un espace étroit et escarpé qui sépare deux *ghâts.* De hauts murs le bordent. Personne n'y circule. Un amas de pierraille tombe jusqu'au Gange. Sans doute, y a-t-il déjà eu un glissement de terrain à cet endroit. En contrebas, dans l'éboulis, nous distinguons la silhouette de Lokesh.

Nous nous accroupissons derrière un rocher pour l'observer sans être vus.

– Où va-t-il donc ? grommelle Zehra.

– Tu crois qu'il habite par ici ?

– Ça m'étonnerait, répond mon amie en regardant autour d'elle. Dès que la mousson arrivera, tout ce secteur sera inondé. Personne ne serait assez fou pour vivre ici. Pas même le plus pauvre des Indiens. Non, les intentions de cet homme ne sont pas nettes. Nous avons bien fait de le suivre.

Il faut avouer que je commence à partager les craintes de Zehra. À part deux chiens errants et trois chèvres perdues, maigres comme des brins d'herbe, nous n'apercevons dans ce trou que des cailloux et une langue de terre boueuse. Je remarque aussi une rigole d'eaux usées provenant de la ville. Elle plonge du haut d'un surplomb rocheux au cœur d'une cuvette qui me paraît relativement profonde.

Zehra, qui suivait un instant mon regard, s'exclame brusquement :

– Lokesh a disparu !

Notre seconde d'inattention a été fatale. Je demande :

– Mais où est-il passé ?

Nous avons beau nous tenir debout

maintenant, nous ne voyons plus aucune trace du père de Yuvati.

– Il y a des replis de terrain, par là, que j'indique avec mon index.

– Allons voir ! rétorque mon amie.

Et, comme elle s'apprête à s'élancer dans l'éboulis, je la retiens par le bras.

– Attends, Zehra ! Il commence à être tard, ma mère va s'inquiéter. Alors, si on ne rentre pas tout de suite chez moi, tu dois m'expliquer ce qui te tracasse autant.

– Nicolas, nous n'avons pas le temps. Viens !

– Non. Dis-moi d'abord.

À ma grande surprise, mon amie affiche une mine désespérée. Ses yeux se mouillent lorsqu'elle me supplie :

– Nicolas, fais-moi confiance. Je sais quel sacrilège ce Lokesh s'apprête à commettre. La vie du bébé est en danger. Tu dois m'aider à le secourir.

Comment continuer à me braquer ? Dans le regard de mon amie, je lis la sincérité, la détresse et, surtout, l'urgence d'agir. Tant pis, maman ! Je sais que tu seras très fâchée, car je serai en retard à la maison. Mais je me sens obligé de te désobéir.

Cette fois, c'est moi qui prends Zehra par la main. Sans plus d'hésitation, je l'entraîne dans l'éboulis.

• • •

À peine sommes-nous descendus de quelques mètres que nous retrouvons notre homme, accroupi au bord du Gange.

– Que fait-il ? s'étonne Zehra en m'invitant à me plaquer au sol, près d'elle. On dirait qu'il prie.

46

—Ou qu'il boit l'eau du fleuve.

—Vois-tu le bébé ? murmure mon amie.

J'étire le cou et réponds :

—Non. Il a dû la poser par terre.

– Où ? On devrait l'apercevoir d'ici, pourtant.

Je réfléchis un moment, puis je tourne sur moi-même pour balayer les alentours du regard. J'oublie presque de chuchoter lorsque je lance :

– Tu crois qu'il l'a abandonnée de nouveau derrière lui ?

Zehra ricane sans joie lorsqu'elle réplique :

– *De nouveau ?* Maintenant, toi aussi, tu es persuadé qu'il l'avait mise aux déchets, pas vrai ?

– J'avoue que...

– Nicolas !

Zehra agrippe ma chemise pour me tirer vers elle. Elle dit :

– Regarde ! Regarde Yuvati ! Elle est là !

– Où... où ça ?

– Là, entre les mains de son père. Il...

Je me redresse sur mes jambes, sans plus me soucier d'être vu ou non par Lokesh. Je m'exclame :

– Oh, mon Dieu ! Ce n'est pas possible !

Zehra se relève à son tour et nous nous écrions en même temps :

– Il est en train de la noyer !

Chapitre 5

Le cruel sacrilège

—Arrêtez! Arrêtez, espèce de fou!

Au risque de me fouler les chevilles, de tomber au milieu de la pierraille et de me faire très mal, je me précipite vers Lokesh.

—Arrêtez!

L'homme se retourne brusquement, si surpris de m'entendre et de me voir arriver vers lui, qu'il retire vivement la fillette du fleuve. Aussitôt, celle-ci se met à pleurer, me rassurant sur son état. Elle respire encore!

—Donnez-moi ce bébé!

—Oui, donnez-nous ce bébé, assas-sin ! répète Zehra qui s'est élancée derrière moi.

—De quoi vous mêlez-vous ? ré-plique Lokesh.

Par réflexe, celui-ci a reculé d'un pas en plaquant Yuvati contre sa poitrine. Ses pieds sont maintenant dans l'eau jusqu'à la cheville. Ne pouvant ni faire marche arrière ni s'échapper, il choisit de nous affronter.

Après tout, se dit-il sûrement, ils ne sont que deux enfants contre un adulte.

Tenant son bébé de sa seule main gauche, il nous défie avec son poing droit.

—Reculez ! Partez ! ordonne-t-il.

Zehra se penche et s'empare d'une lourde pierre sur le sol. Elle la brandit au-dessus de son épaule, prête à la balancer à Lokesh. Ce dernier, voyant la menace, présente Yuvati devant lui de manière à s'en servir comme bouclier.

– Vas-y, lance ton caillou ! nargue-t-il en ricanant. Tu parviendras à réaliser ce que j'essaie de faire depuis ce matin : me débarrasser de cette enfant !

– Vous débarras… ? que je m'étrangle. Alors, c'est vrai ? Vous vouliez tuer votre petite… ?

Je m'interromps avant de reprendre :

– Mais est-ce réellement votre fille ?

– Sois-en certain, Nicolas, assure Zehra. C'est son bébé que ce misérable cherche à éliminer.

Lokesh ricane encore, mais son expression n'est pas aussi méprisante ni aussi hostile qu'il le souhaiterait.

– Je… je ne comprends pas, monsieur, que je balbutie. Com… comment un

père peut-il en vouloir à ce point à sa propre enfant ?

— Expliquez-lui ! crie Zehra, avec une haine si intense dans la voix que j'en suis étonné. Expliquez à mon ami canadien la folie qui anime certains parents indiens !

— Ce n'est pas de la folie, proteste Lokesh, c'est... c'est le sens des responsabilités.

— Des responsabilités ? répète Zehra.

Elle a failli lancer son caillou sur l'homme, mais puisqu'elle risque d'atteindre l'enfant, elle se retient. Yuvati pleure de plus belle.

— Oui, le sens des responsabilités ! explose l'Indien en se penchant vivement et en attrapant à son tour une pierre de sa main droite. J'ai déjà six filles, poursuit-il. Six ! Deux sont mariées. Leur dot m'a coûté une fortune.

Tu sais ce que ça signifie, *firangui* ? Ça signifie qu'il m'a fallu payer cher pour leur trouver un mari. Et moi qui suis endetté, qui n'ai plus la possibilité d'emprunter, il me reste quatre filles à marier… plus cette enfant qui vient d'arriver. Comment y parviendrai-je ? C'est d'un garçon dont j'avais besoin. Pas d'une autre gamine !

Tandis que Lokesh parle, je me déplace de façon à le menacer sur le côté opposé à Zehra. Ainsi, il ne peut pas se servir de Yuvati comme bouclier à la fois contre mon amie et moi. Sans le quitter des yeux, je m'empare, moi aussi, d'un gros caillou sur le sol. Je prends bien soin que Lokesh me voit afin qu'il comprenne qu'il ne fait plus le poids si nous le cernons.

Je me dis que, plutôt que de risquer de recevoir la pierre de l'un ou l'autre, il va abandonner la petite et fuir. Je me dis que…

Erreur !

Lokesh, d'un large mouvement du bras, balance son caillou avec force en direction de Zehra, la plus près de lui. Celle-ci esquive le projectile de justesse en plongeant par terre. Je m'apprête à contre-attaquer, mais l'homme s'est maintenant tourné vers moi, Yuvati comme bouclier. Le temps que Zehra se relève, notre adversaire a déjà saisi une deuxième pierre.

Et puis, je constate tout à coup qu'il effectue une manœuvre étrange. Il change Yuvati et son caillou de main comme s'il s'apprêtait cette fois à lancer de la gauche. Pour quelle raison fait-il cela ? Une feinte d'ambidextre ?

Quand je comprends enfin ses intentions, je me dis qu'il est trop tard.

Il se prépare à projeter la petite en direction de la cuvette. Soit pour qu'elle s'y frappe contre la pierraille, soit pour qu'elle s'y noie.

Alors, quand il amorce son mouvement avec le bras droit, je prends mon élan !

D'un bond vigoureux, je me précipite sur un rocher plat en surplomb et profite de l'impulsion pour sauter le plus haut possible dans les airs. Prenant le risque de me blesser sévèrement, je ne me soucie pas du point où je vais atterrir. Toujours en plein envol, j'arque le dos au maximum et tends les bras loin au-dessus de moi.

J'éprouve une intense sensation d'exaltation quand, en refermant les doigts, je sens le tissu crasseux qui enrobe le corps de Yuvati. Je me fais l'effet d'un joueur de football interceptant une passe de touché. La fraction de seconde suivante, tandis que je blottis le fragile paquet contre ma poitrine, l'euphorie fait place à l'horreur : je vais m'estropier !

Yeux fermés, souffle retenu, j'attends le choc.

Plouf !

Je tombe, non pas sur la pierre, mais au beau milieu de la cuvette. C'est providentiel, quoique, quelle horreur ! Il s'agit des eaux usées de la ville ! Je me

sens pareil à un insecte pris dans les sanitaires au moment où quelqu'un actionne la chasse d'eau. Lèvres bien scellées, je coule à pic, dans cette toilette géante.

Dès que mes pieds atteignent le fond, je me redonne une poussée vers le haut. J'émerge à l'air libre en aspirant un bon coup. Ouf! Oublions la puanteur et la gorgée d'eau souillée que je viens d'avaler malgré moi. Yuvati tenue à bout de bras pour qu'elle puisse respirer, je nage comme je peux jusqu'au rebord. Je dépose mon précieux fardeau sur les rochers, puis je m'y hisse rapidement en cherchant du regard Lokesh et Zehra.

J'aperçois l'homme, en haut de la pente. Il atteint déjà l'un des murs qui donnent accès aux ruelles. Il fuit. Non loin derrière, Zehra ne le lâche pas d'une semelle. Elle lance un coup d'œil par-dessus son épaule, s'assure que Yuvati et moi sommes sains et saufs, puis elle disparaît.

Je me retrouve seul avec la nouveau-née qui pleure dans mes bras. Tous deux, nous dégoulinons d'eaux boueuses et malodorantes.

Non loin, deux chèvres nous observent en bêlant. On dirait qu'elles se moquent de nous.

Chapitre 6

Les réprimandes

Maman est furieuse !

– Quelle folie de te promener seul dans une ville comme celle-là ! À quoi as-tu pensé ? Tu voulais me faire mourir d'inquiétude ? Et... et ce bébé ? D'où sort ce bébé ? Te voilà propre, tiens ! Tu pues comme douze cochons.

Dans son énervement, elle ne me laisse même pas répondre. Les paroles apaisantes de mon père ne parviennent pas du tout à la calmer, pas plus que la présence des deux policiers qui m'ont raccompagné à la maison, ni l'arrivée de Zehra, dix minutes après moi.

À son tour, Aditi, notre gouvernante, se met à enguirlander sa fille. Il semble bien que nos deux mères déversent sur nous le stress accumulé par leur anxiété.

—Tu es devenue folle ou quoi ? rage la domestique. Depuis quand entraîne-t-on un jeune *firangui* dans les ruelles de Varanasi pour ensuite l'abandonner ? Pour qu'il se perde et soit obligé de demander secours à la police ? Tu seras punie. Tu...

—Madame, soyez un peu..., intervient l'un des deux agents.

—Vous, laissez-nous terminer ! l'interrompt maman.

Mais Zehra ne permet pas à ma mère de reprendre sa liste de reproches. Elle se met à crier après Aditi avec une telle rage qu'elle crache entre ses dents. Les deux femmes en restent bouche bée.

– Veux-tu savoir pourquoi j'ai laissé Nicolas tout seul ? Hein ? Veux-tu savoir pourquoi j'ai manqué ainsi à ma responsabilité ? À mon devoir d'accueillir dignement un hôte ?

Papa, maman, Aditi et les deux policiers sont muets. Même Yuvati, toujours dans mes bras — car personne n'a voulu me la prendre tellement elle pue —, retient les sanglots qui l'agitaient quelques instants plus tôt. Zehra poursuit :

— Je vais te le dire, moi, maman ! Nicolas et moi avons surpris un homme en train de tuer sa petite fille. Pour une histoire de dot, tu comprends ? Parce qu'il était endetté par les mariages de ses aînées, parce qu'il n'avait plus les moyens de payer les noces de ses cadettes et parce que ce dernier bébé...

Du doigt, elle désigne Yuvati et poursuit :

— ... ce bébé-là, il espérait que ce soit un garçon. C'était sa septième fille et c'était trop. Tu vois, maintenant ? Nous avons tiré cette enfant des mains de son père pendant qu'il était en train de la tuer ! Tu ne te sens pas concernée ?

Et, contre toute attente, voilà notre gouvernante qui fond en larmes. Maman, papa et les policiers qui fixaient Zehra avec de grands yeux étonnés tournent à présent leur regard vers Aditi. La scène est devenue si touchante que ma mère elle-même s'adoucit. Elle enlace les épaules de la domestique et demande :

— Enfin, que se passe-t-il donc ? Je comprends que cette histoire soit troublante, mais... à ce point ? Je veux dire... Cet homme, vous ne le connaissiez pas et... Pourquoi êtes-vous si bouleversée ?

Incapable de répondre tellement elle sanglote, notre gouvernante tend les bras vers sa fille.

À ma grande surprise, je vois ma

courageuse amie, l'impétueuse, la solide Zehra, aller se blottir contre sa mère pour pleurer à son tour.

Maman essuie une larme, elle aussi, tandis que les hommes, peut-être pour masquer leur émotion, font semblant de s'intéresser à leurs ongles ou à leurs pieds. Discrètement, ils sortent de la pièce. Ils ont sans doute compris quelque chose que je ne saisis pas.

Je baisse les yeux sur Yuvati. Elle s'est endormie dans mes bras.

Épilogue

Les policiers sont partis en nous demandant de nous occuper de Yuvati jusqu'à demain. Ils enverront alors une responsable du ministère de la Famille qui prendra le bébé en charge. Ils ont promis également d'arrêter Lokesh pour l'interroger. Zehra leur a fourni les indications pour aller à son domicile. Elle a suivi l'homme jusque chez lui, elle sait donc où il habite.

Yuvati a été lavée, changée, emmitouflée dans de beaux langes propres et, de nouveau, la voilà dans mes bras. Moi aussi, je me suis lavé et j'ai mis d'autres vêtements. Il paraît que je dois m'attendre à être malade. À cause de mon plongeon dans la cuvette et des saletés que j'ai avalées. Selon maman, je combattrai bientôt une bonne « tourista ».

« La *tourista* n'est pas la fin du monde, mais je t'amènerai quand même dans une clinique, a dit ma mère. D'autres maladies beaucoup plus graves peuvent être contractées quand on se baigne dans de l'eau contaminée. »

Je suis enfoncé au creux d'une causeuse, et je donne à boire à Yuvati à l'aide d'un biberon fourni par une voisine. J'avoue que j'aime bien sentir les yeux de ce petit bout de chou fixés sur moi. Si elle comprenait à quel danger elle a échappé !

En face de moi, assis sur un long canapé, maman et papa écoutent les explications de notre gouvernante et de sa fille.

– Zehra aussi était promise au sort de Yuvati, dit Aditi dans ce qui est presque un murmure. Elle aussi devait connaître la tragédie que certaines familles réservent à leurs filles. J'ai lutté, j'ai menacé mon mari, non seulement de le quitter, mais également de le dénoncer à la police. Je l'ai abandonné, emportant avec moi nos deux fils et Zehra à peine naissante. Je suis allée me réfugier chez mes parents.

J'ai été chanceuse, ceux-ci m'ont bien accueillie, ce qui n'est pas le cas de toutes les femmes qui fuient leur conjoint. Le mien était trop honteux de n'avoir pas su maintenir sa femme au domicile conjugal. Ça démontrait sa faiblesse aux yeux de ses amis et de sa propre famille. Finalement, il a accepté toutes mes conditions afin que je revienne à la maison. La plus importante de celles-ci était, bien sûr, de garder notre fille avec nous.

– C'est quelque chose d'épouvantable, cette situation ! s'exclame maman.

– J'ai honte de cette horrible coutume, réplique la domestique. Heureusement, elle se fait plus rare et le gouvernement sensibilise la population. Espérons que ces sacrilèges deviennent très rapidement de simples mauvais souvenirs à l'intérieur de nos traditions.

. . .

Yuvati, rassasiée, dort dans le lit que nous lui avons improvisé.

Je suis assis tout près et la surveille comme si, en lui sauvant la vie, j'en avais hérité la responsabilité. Tantôt, ma mère m'a longuement embrassé sur le front.

« Excuse-moi, mon grand, de t'avoir fait des reproches, a-t-elle murmuré. Je suis vraiment très fière de toi. »

Puis, elle est partie rejoindre papa, dans une autre pièce. Je crois qu'elle pleurait.

—Tu as le troisième œil.

Je tourne la tête vers Zehra. Je ne l'avais pas entendue s'approcher de moi. Je demande :

—Comment ?

—Tu as deviné que Lokesh s'apprêtait

à lancer l'enfant dans la cuvette, hors de notre portée, pour qu'elle se noie. Tu as sûrement le troisième œil pour flairer ainsi les mauvaises intentions des gens.

Je hausse les épaules en feignant l'indifférence. Mais au fond de moi, le compliment me fait plaisir.

— Mais non, j'ai été chanceux, voilà tout.

Zehra tient un petit récipient rempli d'une pâte rougeâtre. Elle y plonge l'index et applique la préparation au milieu de mon front.

— Tu as le troisième œil, répète-t-elle. Tu vois au-delà des apparences ; tu ressens les choses. Pour cela, tu mérites amplement de porter le *tilak.*

Je sens de petits doigts se refermer sur mon auriculaire. C'est Yuvati. Elle est réveillée et me regarde en gazouillant. Dans son autre main, elle saisit aussi un pouce de Zehra.

Pendant de longues secondes, nous restons ainsi, tous trois, comme si nous communiions par l'esprit.

Le charme se rompt au moment où j'éprouve une foudroyante crampe au ventre.

Camille Bouchard

Né à Forestville, Camille Bouchard se consacre à ses deux grandes passions, l'écriture et le voyage. Dans sa vie de globe-trotter, il a visité de nombreux pays en Asie, en Afrique et en Amérique du Sud. Voyageur infatigable, Camille a exploré des sites légendaires et a dormi à la belle étoile dans la jungle, dans le désert ou au sommet des montagnes. Il a gravi des pyramides, assisté à des rites sacrés et croisé des hyènes et des serpents à sonnettes. Autant d'expériences et de souvenirs extraordinaires qui l'inspirent pour imaginer les aventures de Nicolas...

Visite notre site Internet pour en savoir plus sur nos auteurs, nos illustrateurs et nos collections :
dominiqueetcompagnie.com

Du même auteur
Dans la collection Roman noir
(Série *Les voyages de Nicolas*)
Danger en Thaïlande
Horreur en Égypte
Complot en Espagne
Pirates en Somalie
Trafic au Burkina Faso
Catastrophe en Guadeloupe
Terreur en Bolivie
Cauchemar en Éthiopie
Dans la collection Roman rouge
Des étoiles sur notre maison
Sceau d'argent du prix du livre
M. Christie 2004
Lune de miel
Les magiciens de l'arc-en-ciel
Flocons d'étoiles
Le soleil frileux
Dans la collection Roman bleu
Derrière le mur
Lauréat du prix littéraire du
Festival du livre jeunesse de
Saint-Martin-de-Crau (France), 2006
Le parfum des filles
Dans la collection Grand Roman
Le rôdeur du lac
(Série *Flibustiers du Nouveau Monde*)
Tome 1 Le trésor de l'esclave

Dans la même collection

Niveau 3, dès 10 ans • • •
Une terrifiante histoire de cœur
*Première position du Palmarès
Communication-Jeunesse des livres
préférés des jeunes 2008-2009
(catégorie Livromanie 9-11 ans)*
Carole Tremblay

Achevé d'imprimer en juillet 2011
sur les presses de Imprimerie L'Empreinte inc.
à Saint-Laurent (Québec)–012322C